本当の幸せとは

―自己を見つめて―

普賢保之著

永田文昌堂

はじめに

私は九州大分の出身ですが、縁あって昭和六十年に滋賀県彦根市犬方町の行願寺に入寺致しました。入寺してから早いもので二十四年の歳月が流れました。私が九州で過ごした歳月よりも犬方で過ごした時間の方が遙かに長くなりました。入寺当初は生活環境も違い、戸惑うことも少なからずありました。しかし、家族をはじめご門徒の方々が温かく迎えてくださったこともあり、お陰様でここまでやってくることができました。その間、沢山の方との出会いと別れがありました。結婚式の折には、沢善六さんがシルクハットにモーニング姿、そして手にはステッキを持って出迎えてくれました。その善六さんもすでに浄土の聖衆となりました。

平成九年には実家の父も七十四歳で往生し、今年五月に十三回忌を勤めました。父の一番の気掛かりは、恐らく私の将来だっただろうと思います。しかし、その私が行願寺に入寺し、ご門徒の皆さんに温かく迎えられたことは、父にとっては何にも代え難い大きな喜びだったに違いありません。

また私は現在、京都女子大学に奉職しています。若い学生を相手に仏教学の講義を担当しています。大学の仕事に追われ、毎日の逮夜参りもままならない状況にあります。ご門徒の方々をはじめ家族にも随分と迷惑を掛けています。今回本書を出版することにより、ご門徒の方々に私の職場での様子の一端でも知っていただけたらとの思いもあります。

本書はここ数年の間に大学の宗教部が発行している「分陀利華」等の新聞や、その他の発行物、礼拝の時間に話した講話などをまとめたものです。内容や引用文等において一部重複するものもありますが、文脈に考慮しそのまま載せることとしました。また私の講話を聞いた学生の感想も少し紹介しています。

普賢保之

目次

はじめに……1
菩提樹（巻頭言）……3
蓮聚（巻頭言）……7
精神的荒廃と「こころの教育」……12
生死観の育成……16
親鸞聖人が求めたもの……21
仏の国は本当にあるのか？……26
謙虚に耳を傾けてみよう……31
「心の学園」に学ぶ……36

宝の山に入りて……41
澪　標……47
尊号真像銘文……64
本当の幸せとは……67

本当の幸せとは

——自己を見つめて——

菩提樹

現代の社会状況をみると、社会全体が攻撃的で殺伐とした感がある。テレビでは社会の指導的立場にある政治家や、企業のモラルが問われるような事件が頻発し、また社会を震撼とさせるような凶悪事件が連日のように伝えられている。マスコミはそれらの加害者を徹底的に糾弾している。加害者に非がある以上誰も異を唱えることはできない。それどころか視聴者も、テレビからもたらされる情報をもとに、行き過ぎではないかと思えるほどに罪を犯したものを攻め立てている。

こうした状況に何か違和感を覚える。確かに犯した犯罪は許されることではない。しかし、その責め立て方が尋常でないように思う。それはどのような心理状態がもたらすものなのであろうか。このような現象は、幾つもの要因が複雑に絡み合っていて、簡単に論じられるようなものではないかもしれない。しかし、そのような要因の中でも特に大きな要因として、物質的な豊かさに比べ、心の問題がお座なりにされてきたことが挙げられるのではなかろうか。心の問題といっても、道徳といった規範意識の問題ではない。人間の本質的な問題に目を向けることが蔑ろにされてきた結果ではないかと言いたいのである。

問題の本質は外的な現象にあるのではなく、攻め立てる側の内面の問題にあるように思われてならない。自己本位であるがゆえに、満たされない不満が攻撃性となって現れているのではなかろうか。マスコミや視聴者のそうした屈折した心理が、今日の社会状況を作り出していると見ることもできるのではないだろうか。

宗教学者の岡田尊司氏は、その著書（『悲しみの子どもたち』）の中で、「戦後、一代ムーブメントを形成した実存主義哲学は、聖なる価値が失われた状況において、いま、ここに生きる自分こそが決定権をもった存在であることを説き、支持を得た。実存主義哲学は、永遠ではなくこの瞬間の「いま」に、絶対者ではなくこの「私」に、価値と主体性を求めたのである。こうした考えは、いまや特別な哲学ではなく、ほとんどの市民の常識になっている。（中略）神や国家といった、それまで絶対的な権威をもっていた存在が絶対性を失い、ゆるぎない行動の規範や価値がなくなったという状況がある。」と述べている。私というものがあまりにも肥大化し、強調されすぎた結果が、現代の歪な社会状況を生み出しているという見方もできよう。自分の姿を振り返ることなく、絶えず外を批判ばかりするというあり方は、自分自身を苛立たせ、それが攻撃性となってあらわれ、一層社会との軋轢を生む結果を招いているのではないだろうか。

人が心豊かに充実した生を送るためには、自分自身と向き合い、自己と折り合いをつけていくことである。京都女子大学では礼拝等で、非日常的な時間と空間の中で、自己と向き合う時間を設けている。講師の先生方には、お忙しい時間を割いて学生たちにお話いただいている。

（「菩提樹」第二十七号）

＊「菩提樹」について

京都女子大学では宗教教育のためにさまざまな行事や活動を行っている。その一つが月例礼拝である。礼拝時に本学の教職員が宗教にまつわる話を学生にしている。その他にも降誕会、卒業回生の合同礼拝、仏前成人式等があり、その際には学外から著名な講師を迎え、記念講演をお願いしている。これらの講話をまとめたものが『菩提樹』である。『菩提樹』の第一輯は、昭和五十八年三月に発行されており、今年三月まで既に二十七号が発刊されている。今回掲載した原稿は第二十七号の巻頭の言葉である。

蓮聚

現代の人々、特に若い世代の宗教観はどのようにして形成されているのだろうか。核家族化が進み、従来伝承されてきた形態での宗教観の継承は難しくなっている。家に仏壇のある家庭は現在、全世帯の何割ほどであろうか。また一度でも自ら寺や教会に足を運び、宗教家の話に耳を傾けたことのある人は、どれほどいるのであろうか。

多くの人々の宗教観は、テレビなどマスコミを通して刷り込まれているようにも思われる。しかし、テレビで放映されている宗教と称される内容はお粗末そのものである。もちろん教養番組として勝れたものもないわけではないが、目を覆いたくなるものも多い。宗教が取り扱われるのは、その多くは情報番組か娯楽番組の中でである。情報番組で取り扱われるのは、季節恒例の宗教行事であり宗教そのものを扱うことはない。娯楽番組に到っては、宗教とはおよそかけ離れた内容であり、その内容は人の心を惑わすことはあっても、救いとなるような代物ではない。超能力に関する内容や心霊番組と呼ばれるような類である。超能力者と称する者による犯罪捜査や、先祖の霊とされる者との交信がまことしやかに放映されている。そしてこうした内容が、あたかも宗教そのものであるかのような印象を与えている。

最近読んだ石井研士氏の『テレビと宗教』は、こうした内容を考える上で示唆に富む内容であった。まずその序文に「私は、この国の宗教文化が、情操も含めて周知される機会を失いながら、バラエティー番組やニュース報道としてのみ存続していくことに大きな危惧の念を抱いている。宗教は人類が誕生して以来続いてきた精神文化の中核をなす、〝濃い〟文化である。宗教文化への関心や敬意が消えていき、薄っぺらな宗教情報しか残らないとしたら、文化、そして社会は衰退していく一方なのではないか」とあった。最近、社会の衰退を思わせるような出来事が頻発している。それは国家レベルでも個人レベルでも同様である。こうした問題は、人間の道徳心といったレベルで解決する問題ではない。人間の本質的が問われる内容である。そして人間の本質を取り扱うのは宗教である。その宗教観を現代人がどのように涵養していくかが問題となっているのである。

仏教学の講義で学生さんから、時折「仏教が霊魂の存在を否定すると聞いて驚いた。仏教は鎮魂のための教えではないのですか」といった質問を受けることがある。入学当初は、仏教に対してこのような偏見を持った学生さんが相当数いる。むしろ偏見を持った学生さんの方が多いのかもしれない。これもテレビの影響によるものだろうか。ところが、仏教学の講義で縁起や空の話を聞くと、多くの学生さんは正しく理解するのである。受講後は仏教を正しく受け止める学生さんの方が圧倒的に多くなるのである。仏教に対する偏見は、本物に出会わなかったために生じたものである。もし本学で仏教学の講義に出会うことがなければ、偏見を持った学生さんは、生涯仏教とは生きている私たちに災いをもたらす霊を鎮めるためのもの、といった間違った理解を持ったまま過ごすことになったかもしれない。

従来、宗教的な情操は家庭の中で培われてきたものである。その中でも大きな役割を果たしてきたのが祖父母の存在だったのではないかと思われる。勿論、それが親でも構わないし、地域の人々でも構わないのであるが、とりわけ祖父母の存在が及ぼす影響が大きかったのではないかと思われる。祖父母の姿を見て、若い世代の宗教観が自然と育まれていったのではなかろうか。ところが現代の家族形態は核家族化し、模範となるべき祖父母の姿が見えない。また地域の力も落ちている。

本学では宗教教育部をはじめ、九つの宗教ゼミナールが活動している。それぞれの活動を通じて、しっかりした宗教観を培ってもらいたいと思う。そしてそれが周囲の人々に、また次の世代に伝えることができたら、どんなに素晴らしいことであろうか。活動の輪がさらに広がっていくことを期待している。

（「蓮聚」第三十五号）

＊「蓮聚」について

蓮聚とは蓮の集まりという意味である。仏法を聞く仲間の集まりという意味で付けられた名前であろう。宗教部主催の宗教ゼミナールは現在、九つあり、私も「歎異抄を味わう会」を担当している。それぞれの宗教ゼミナールでの活動報告を『蓮聚』を通して行っている。『蓮聚』の創刊は昭和五十年であるから、現在まで三十四年にわたり続いていることになる。今年で三十五号を数える。今回掲載した言葉はその巻頭の言葉である。

精神的荒廃と「こころの教育」

京都女子学園は「こころの学園」と称されるように、知育偏重の社会にあって創設以来「こころの教育」を基本とした教育を実践している。この一貫した姿勢が今日、社会から大きな評価を得ている。

「こころの教育」と言っても漠然としており、一般的にはそのイメージするところは各人各様であろう。「バブル崩壊」後、物重視の考え方から心を重視した考え方への移行が叫ばれた。しかし、それも時間の経過とともに、いつしか立ち消えとなってしまった感が否めない。そのような社会状況の中にあって、本学園においては、時代の変遷に翻弄されることなく、一貫して「仏教精神」、とりわけ「親鸞精神」を建学の精神とした「こころの教育」に努めてきたのである。

現代社会の精神的荒廃、それに伴う殺伐とした社会状況を救う即効性のある手だてがあるとは思えない。学校での道徳教育の強化などが喧伝されるが、道徳教育をもってこうした社会状況を救うことができるとはとても思われない。表面に現れた現象面だけを取り繕えば済むという問題ではないからである。問題の本質は人間のもっと奥深いところに潜んでいる。

親鸞聖人の明かされた念仏の教えは、長い歴史の中で淘汰されることもなく、今日まで脈々と伝えられ、多くの人々の心の依り所となっている。それは人間の本質を明らかにした教えであり、人々の心に真に安らぎと豊かさをもたらす教えであるからである。私の学生時代の恩師である村上速水先生は次のように述べている。

海の表面の水は怒濤逆巻く波であっても、それより何千メートルかの底の水は静まり返っているのではないか。人生にも二面がある。科学・政治・経済・教育の世界は日進月歩の発展があるが、人間そのものの根底には、今も昔も少しも変わらぬ不気味な問題が潜んでいるのではないか。

現代の科学技術の進歩には目を見張るものがある。そしてその恩恵に浴しているのが現代の我々である。科学技術の進歩、発展にばかり目を奪われがちである。しかし、人生にはもう一つの面があるというのである。人間の奥底には今も昔も変わることなく横たわっている問題、つまり人間の本質とでもいうべき自己中心性である。そのことにはなかなか目が向かないし向けようともしない。親鸞聖人は、そうした人間の奥底に潜む問題を念仏の教えを通して目を向けていったのである。そこにはじめて人間の心の平安が得られることを示している。

現代社会の精神的荒廃、それに伴う殺伐とした社会状況を救う手だては、時間のかかる作業ではあっても、本学園が創設以来標榜してきた親鸞精神を基盤とする「こころの教育」しかないのではなかろうか。しかし教育者自身の心が荒廃し、荒んだ状態にあっては「こころの教育」は望めない。教育問題を語る上で、重要な鍵を握るのはまずは教育する側の問題であろう。教育する側が伝えようとする事柄の実践者であるかどうかが問われる。教育者自身が親鸞精神、つまり念仏の教えに耳を傾け、自己の本質に目を向けることが求められる。その姿が自然と周囲にも、学生たちにも伝わっ

ていくのである。親鸞聖人の「浄土和讃」（註釈版五七七頁）には、

染香人のその身には　　香気あるがごとくなり

これをすなはちなづけてぞ　　香光荘厳とまうすなる

といった和讃もある如くである。

宗教・文化研究所は「宗教・文化研究所だより」第四五号にも紹介されているように設立以来二十二年という長い歴史を持っている。最近の傾向として文化面の色彩が濃くなってきているように思われるが、兼担の先生方や嘱託の先生方から、毎回玉稿を寄せていただいている。こうした先生方の地道な努力の積み重ねの上に「こころの教育」が成り立っていると思われる。

（「宗教文化研究所だより」第四十七号）

生死観の育成

京都女子学園は例年宗教・文化研究所が主催して懸賞論文を募集している。昨年の懸賞論文には、宗教教育の重要性を実感させられる作品が数多く寄せられた。仏教が自然な形で自分の中に浸透している作品も多かった。審査にあたられた先生方からも、論文を読むと一回生と三回生（短大は二回生）で仏教学が設けられている意義がよく理解できたといった声も聞かれた。

初めて仏教に触れる学生の中には、仏教は霊魂を鎮めるためのものであるとか、占いと同じ類のものと思い込んでいる者もたくさんいる。入学当初は、仏教が自己を問い、自己の生き方にかかわる教えであると理解できている者はむしろ少ない。しかし、実際に仏教に触れてみると、それまでの自己認識の誤りに気付き関心を示す学生も多い。若い時期に自分自身と向き合い、自分自身の存在意義や人生について考えることは、きっと学生たちにとって、今後の人生をより豊かなものにするに違いないと思っている。

最近『死別の悲しみに寄り添う』（平山正美編著）という本を読む機会があった。その中に、東京歯科大学市川総合病院で看護部長を勤めておられる安達富美子さんの「がん告知に対する態度から考察した日本人の死生観」と題する文章が載せられていた。その文章の中で安達さんは、

日本における告知の問題は二十数年で大きく変化してきた。その主導者は医療側、もっぱら医師主導である。しかし、これからは各個人が自覚的に主体性をもって、自分の自身に起こった事柄について事実をありのままに受け入れ、自分自身でその後のことを決めていくことが求められる。そのためにも各個人が自分自身でとらえた死生観（生死観）を明確にもつことが医療の場において求められる時代になったのだといえる。このことは単に病気や死の時の問題だけではなく、如何に生きるかを日ごろの生活態度として考えながら生きてゆく必要を求められ

ていることでもある。最近の子どもの自殺率の高さ、親を殺す、いじめ、引きこもり、ニートなど、のニュースを聞くたびに、生きることを丁寧に考えることがなおざりにされているように感じる。こうした現代の医療事情、社会事情を考えても、死生学教育の中で意図的・系統的に行われることは重要であり、急務であると考える。（六九〜七〇頁）

と述べられている。この文章の中で安達さんは「死生学教育」の重要性と、その実践が急務であることを指摘している。医療現場の第一線で活躍している方の生の声である。安達さんは「死生学教育」について、「主体性をもって、自分の自身に起こった事柄について事実をありのままに受け入れ、自分自身でその後のことを決めていくこと」「単に病気や死の時の問題だけではなく、如何に生きるかを日ごろの生活態度として考え」ること、と表現されているが、安達さんの主張する「死生学教育」の内容は、仏教教育と大いに重なるものではないかと思う。仏教は「主体性をもって、自分の自身に起こった事柄について事実をありのままに受け入れ、自分自身でその後のことを決めていくこと」を説いているのであり、「単に病気や死の時の問題だけではなく、如何に生きるかを日ごろの生活態度として考えながら生きてゆく」指針を示しているのである。こうした内容を仏教を通して、また仏教文化に触れながら、若い時代に教育を受けることは、その後の人生に大きな影響を与えていくに違いない。

京女の学生たちは、人生の中でも一番多感な時期に仏教学の講義を通して、また音楽や歴史文化、自然科学等の教育を受けることによって、安達さんの言われる「死生学教育」を学んでいるのである。しかもそれが学校創立以来の建学の精神であり、その伝統が今も脈々と受け継がれているのである。

宗教・文化研究所は、それぞれの専門分野から仏教と、それと密接に関わる文化について、兼担の先生方や嘱託の先生方から毎年玉稿を賜っている。先生方の研究によって、学生に対する総合的な宗教教育の実践が、今後一層はかられることを期待している。

（「宗教文化研究所だより」第四十八号）

＊「宗教文化研究所だより」について

宗教文化研究所は、大学組織の一部で仏教文化を中心に広く宗教と文化に関する研究を推進し、学術の発展に寄与するために設けられている。この宗教文化研究所から出されている広報誌が「宗教文化研究所だより」である。また学生の懸賞論文の応募も行っており、優秀作品には賞金も出し、「宗教文化研究所だより」に掲載して、宗教教育の浸透に寄与している。

親鸞聖人が求めたもの

新入生の皆さんご入学おめでとうございます。また上級回生も四月を迎え新たな気持ちで講義に臨んでいることと思います。入学当初、慣れない環境の中で戸惑いを覚えることも多いのではないでしょうか。その中でも講義に仏教学があり、しかもそれが卒業に必ず必要な科目と知って驚いた人もいることでしょう。

一般的には、仏教に対してあまり良いイメージを持っていない人も多いようです。仏教は死者の霊魂を鎮めるためのものであるとか、あるいは死後の問題を扱う教えであると考えられています。しかしこうした理解は、正しい仏教理解からかけ離れています。

京都女子大学が建学の精神としているのは親鸞精神です。言い換えれば、親鸞聖人の説かれた念仏の教えを拠り所としています。建学の精神が鎮魂のためのものであったり、死後の問題を取り扱ったものであるはずがありません。

親鸞聖人は九歳で得度し僧侶となって、千日回峰行などで有名な比叡山に登り、二十年もの間修行されています。さらに現在の京都市中京区にある六角堂（正式名称は頂法寺）に百日間参籠し、続いて京都東山の地で専修念仏の教えを説いていた法然聖人のもとを訪れ、専修念仏の教えに帰依しています。このように長い間、親鸞聖人がひたすら求めたものとは、いったい何だったのでしょうか。

親鸞聖人は恵信尼という女性と結婚し、七人の子どもに恵まれています。晩年を越後で過ごした恵信尼が、京都に在住して親鸞聖人のお世話をしていた末娘覚信尼に送った手紙が残されています。その手紙の中には、親鸞聖人が何を求めていたのかについても触れられています。そこには、

生死出づべき道をば、ただ一すぢに仰せられ候ひしを、うけたまはりさだめて候ひしかば（註釈版八一一頁）

とあります。親鸞聖人は、法然聖人がもっぱら「生死出づべき道」について説かれる

のを聞かれたと記されています。これからも分かるように、親鸞聖人が求めたものは、「生死出づべき道」だったのです。「生死出づべき道」とは、生老病死などの苦しみを解決する教えという意味です。親鸞聖人も、生老病死の苦しみを抱えながら苦悩していたことが窺われます。

皆さんはこれまでに、家族の死や自身の病気、受験の失敗や失恋などを経験して、「自分は何のために生きているのだろうか？」「自分とはいったい何なんだろう？」と考えたことはないでしょうか？順風満帆な人生を歩んでいる時にはあまり考えないことです。しかし自分の存在が危機的状況に置かれた時、こうした問いが頭をもたげてきます。するとこれらの問いは、私たち人間にとっての根源的な問いなのかも知れません。根源的な問いでありながら、喉元過ぎれば熱さを忘れるではありませんが、なかなか突き詰めて考えることはありません。しかしこうした問いの解決が、私たちの日常生活に大きな影響を及ぼすのです。

「生死出づべき道」というと、何か難しいことのように思われますが、決して私たちの日常からかけ離れた問題ではありません。「生死出づべき道」を求めるということは、言い換えれば、「自分は何のために生きているのだろうか?」「自分とはいったい何なんだろう?」といった問題に対して、その解決方法を求めることなのです。親鸞聖人はその解決方法をひたすら求めていかれたのです。そしてその答えを法然聖人が説く専修念仏の教えに見出されたのです。

以前、『漁師さんの森づくり』(講談社)という本を読んだことがあります。畠山重篤さんという漁師の方が書かれた本です。畠山さんは宮城県の気仙沼湾で牡蠣や帆立の養殖業を営まれています。この方のユニークなところは、海で牡蠣や帆立を養殖するのに、海とはおよそ関係なさそうな、山にブナなどの広葉樹を植林している点にあります。海の生物を育てるのに、山に植林しようと考えるきっかけになったのは、フランス最大の川、ロワール川流域の広葉樹の森が、森の動物を育てているばかりか、川の生き物や沿岸の海の生物を育んでいることに気付いたからだと言われています。畠山さんは広葉樹が落葉して腐葉土となり、その腐葉土の間を通り抜けた水の中に、植物プランクトンが育つ養分が含まれていることに気付いたのです。森林を育てるには、長い時間がかかります。森林を作るというのは壮大な計画です。しかし植林を始めて二十年を経た今、着実にその成果が上がっています。

同様のことは私たち人間についても言えることではないでしょうか。目先のことばかりにとらわれて、取り繕うようなことばかりしていては、問題の本質を見失い、本当の安心を手に入れることはできません。私たちが生きていく上で直接関係なさそうな問題、つまり「自分は何のために生きているのか？」「自分とはいったい何ぞや？」といった根源的問題を解決するところに、人生を豊かにまた力強く生きていく力が恵まれるのです。親鸞聖人は、こうした問題の解決を念仏の教えに見出されたのです。だからこそ、京都女子大学では、念仏の教えを拠り所とする親鸞精神を建学の精神としているのです。

（「分陀利華」第二九五号）

仏の国は本当にあるのか？

幼い子どもが犯罪や事故で亡くなったり、著名な方が亡くなった葬儀の様子がワイドショーなどで放映されています。その中でよく耳にするのが「天国で安らかにお眠り下さい」「天国から私たちをお見守り下さい」といった弔辞である。こういった場合、使用されるのは大半が天国という言葉であって、浄土という言葉はほとんど聞くことはない。私はこうした弔辞を聞いていると、言葉が一人歩きしているように思えてならない。なぜなら、日頃から自分の中に天国や浄土というものを意識しながら生活しているならともかく、それらの言葉が結果的にその場限りになっているからである。テレビのキャスターが「心よりご冥福をお祈りいたします」とコメントするのもしかりである。弔辞を読んだり、コメントするキャスターとしては、少なくともその場では、その言葉に偽りはないのであろう。そうであれば一層言葉が軽く感覚的にしか使われていないということになる。

〈信じてもいないのに〉

弔辞を読む人やキャスターには、恐らく天国や浄土の存在を否定的に考えている人が多いのではなかろうか。それにも拘わらず、そうした場に立たされると、突然天国や浄土が出現し、それが過ぎれば自分の生活の中から天国や浄土は消え去っていくのである。自分の都合次第ということになる。これはテレビの中のことだけではない。現代人の多くが同じようなことをしているのである。だからこそ、このような弔辞やコメントに接しても、何の違和感も覚えないのではないかと思う。現代人はどこまでも自己本位、ご都合主義ということであろうか。

〈親鸞聖人の説く浄土〉

ここで親鸞聖人の説く浄土について考えてみよう。浄土を説明する場合、「浄土とはこういう世界です。はい。見えましたか？」と見せられれば、誰もが実感でき納得もできるであろう。しかし厄介なのは、誰も浄土を実際に見ることもできなければ、浄土の存在を証明することもできないのである。それにもかかわらず浄土は存在すると言われても、ただ当惑するばかりである。しかし浄土真宗の祖である親鸞聖人は浄土を説き、自らもその存在を信じていたのである。それは親鸞聖人が、現代ほど科学が進歩していない時代の人だったからなのであろうか。

親鸞聖人はなぜ浄土の存在を信じることができたのであろうか。それは阿弥陀仏の教えによって自身が救われたからである。阿弥陀仏の教えとは、煩悩にまみれた人間が作りあげた相対的な思想として受け止めるのではない。浄土を根源としているのが阿弥陀仏の教えである。親鸞聖人は自身の救いを通して教えの確かさを確信し、浄土の存在も確信することができたのである。決して存在するかどうか分からない世界を無理矢理に信じ込もうとしたのではない。そうすると、浄土とは遠い未来にあるのではなく、今この時点で我々と密接に関わっている世界ということになる。

〈浄土と私〉

京都大学医学部の名誉教授で、かつ念仏者であった東昇先生は次のように述べている。「たとえば、二千年昔の科学者と哲学者が現代のどこかでバッタリと出会ったとしよう。その時、科学者の方は現代科学の驚異的な発展に目をむいてすばらしいと驚嘆の声をあげるであろう。しかし、哲学者は極めて冷ややかに、なんだ昔も今も少しも変わっていないではないかと答えるであろう」と。つまり、私たちは、身にまとう鎧としての知識や情報は、いっぱい抱えているけれども、人間の本質という点では、今の人間も二千年昔の人間も全く変わっていない、と言われているのである。私たちは自分が身につけている情報や知識に惑わされ、却って自分自身を見つめるということが出来にくくなっているのかも知れない。こうした人間の本質を明らかにするのが、浄土を根源とする阿弥陀仏の教えなのである。

浄土とは自己を絶対化し、その存在の有無を論じることに意義があるのではない。

浄土は自己の本質、つまり自己中心的な姿や愚かさを明らかにする阿弥陀仏の教えの根源にあるものなのである。私たちは阿弥陀仏の教えを通して、自己の本質が明らかになったとき、それまで肩肘張って力んでいた肩の力が抜け、安心できる世界を知ることができるのである。これが救いである。このように自己のありのままの姿を知ることができたとき、その自己がそのまま肯定されていることに気付かされるのである。これは浄土を根源とする阿弥陀仏の教えによってはじめて可能となる。

浄土の意義をしっかりと理解することによって、その場の感情だけに流されることなく、日常における自身の救いは勿論のこと、亡くなられた方との継続的な心の交流がはかられることになるのではなかろうか。

（「分陀利華」第二八四号）

謙虚に耳を傾けてみよう

私は今年四月に京都女子大学に赴任してきました。三月までは京都市内のマンションに住み、そこから職場に通っていましたが、職場が変わるのを契機に、滋賀県彦根市にある自宅から通勤することにしました。最寄りの駅には普通電車しか止まらず、当初片道一時間ほどの通勤時間を持て余してしまうのではないかと心配していましたが、実際に電車通勤を始めてみると、当初の予想と違い、この時間が中々快適な時間となっています。日頃読めない本も沢山読めますし、眠いときや疲れているときには寝ることにしています。

最近読んだ一冊に、内田樹という方の書かれた『下流志向』という本があります。共感できる部分が多く、面白く読むことができました。その一節に「教育の逆説は、教育から受益する人間は、自分がどのような利益を得ているのかを、教育がある程度進行するまで、場合によっては教育過程が終了するまで、言うことができないということにあります」（四六頁）とありました。また「『義務教育』という言葉を、今の子どもたちは『教育を受ける義務がある』というふうに理解しています。もちろんこれは間違いで、子どもには『教育を受ける義務』なんかありません。子どもには『教育を受ける権利』があるだけです。『その保護するところの子女に普通教育を受けさせる義務を負う』のは親たちの方です。教育を受ける権利は、子どもたちにとって、その人生の可能性を広げてゆくための、もっともたいせつな権利です」（三三頁）と述べています。

義務と権利のはき違いということで言えば、今年世間を賑わせた話題に給食費の未納問題があります。未納の理由については、保護者の経済的な問題というよりも、責任感欠如や規範意識の低さに問題があるようです。未納者の主張の中には、「義務教育だから支払う必要がない」というものもあったといいます。中学までの九年間、子どもに教育を受けさせる義務を負っているのは行政ではなく、親の義務であるにも拘わらず、「義務教育だから」と身勝手な主張をしているのです。

以前、学生さんから「私は〇〇学科に入学したのに、どうして仏教学の講義を受けなければいけないのですか」という質問を受けたことがあります。この質問の意味をもう少し突き詰めれば、「私の専門には、何の役にも立たない仏教学という講義をどうして受講しなければいけないのですか」という意味なのでしょうか。その質問に対して、その時どのように答えたかはっきり記憶してはいませんが、恐らく「取りあえずは受けてみて下さい」といった趣旨のことを言ったように思います。この質問をした学生さんは、これまでの自身の僅かな経験に基づいて、また目先の功利的判断に基づいて、専門以外の講義は役に立たないと決めつけているのです。このような類の質問をする学生さんは、自ら幅広く学ぶ権利を、また「人生の可能性を広げてゆく」チャンスを放棄してしまっているのです。

私たちは物事を主体的に考えることを善しとしています。思考回路を遮断してしまい、社会の風潮にただ流された生き方に比べれば、よほど立派な生き方と言えるでしょう。しかし一方で自分というものを過信しすぎるのも問題です。もっと自分自身について考えてみることも大切です。僅かな経験と知識に基づいて、さらに目先の利益だけで幅広く学ぶ権利を放棄するのは、いかにももったいない話だと思います。自ら人生の可能性を狭めていることになります。

親鸞聖人に大きな影響を与えた僧の一人に源信和尚（九四二〜一〇一七）という方がいます。その著述の中に『往生要集』三巻があります。これは日本における最初の本格的な浄土教の教義について書かれた書です。ひろく流布して、教義の面だけでなく、文学や芸術面など広範囲に大きな影響を与えています。その中に、

雨の堕つるに、山の頂に住まらずしてかならず下れる処に帰するがごとし。もし人、憍心をもつてみずから高くすれば、すなはち法水入らず。もし善師を恭敬すれば、功徳これに帰す。（註釈版七祖篇一一七四頁）

という言葉があります。山に雨が降ると、雨水は山の頂上から必ず低い方向に流れていきます。それと同じように、人間も仏教の教えを謙虚に聞く姿勢をもっていれば、

教えは自然と流れ込んできます。しかし驕り高ぶった心をもって自らを高くするところには、教えは入ってこないというのです。謙虚に教えに耳を傾ければ、大きな功徳が自分の中に満ちる、と述べられています。同じことは私たちの日常生活の中でも言えることでしょう。人の話や直接関係のないと思われるような講義でも、謙虚に耳を傾けることは大事なことです。

『歎異抄』の後序には、親鸞聖人の言葉として、「善悪のふたつ、総じてもつて存知せざるなり」（註釈版八五三頁）という言葉が紹介されています。親鸞聖人は、「何が善で何が悪であるのか、わたしはまったく知らない」と仰ったというのです。ところが私たちは、知らず知らずのうちに、自分を中心にした見方をしていることにすら気付かず、狭い見方の中で自己の考え方に執着してしまっています。これでは自ら人生の可能性を閉ざすことになってしまいます。専門とは違う講義であっても、謙虚に耳を傾けるような人であって欲しいと思います。

（「分陀利華」第二九二号）

「心の学園」に学ぶ

私が京都女子大学に赴任してから間もなく丸二年が経とうとしている。本学が親鸞聖人の教えを建学の精神に据えていることは、赴任する以前から知ってはいたが、当初、職員自らも教えに耳を傾け、学生たちにもその精神を伝えようとしている姿には感動すら覚えたものである。

仏教学はここ二年連続でお二人の先生が退職された。徳永道雄先生と佐々木恵精先生である。このお二人の先生と話していると、京女に対する熱い思い、また仏教学に対する熱い思いが伝わってくる。長い間ひとつの仕事に従事していると、当初の熱い思いも次第に冷めていきがちだと思うが、このお二人の先生を見ていると、益々熱い思いが強くなっているようにすら感じる。

新聞の広告などを見ていると、多くの大学が「専門的な知識を身に付けるだけでなく、『心豊かな人間形成』を目指している」といった趣旨の言葉を載せている。素晴らしい理念ではあるが、「心豊かな人間形成」をどのように実現しようとしているのかが見えてこない。日本では一九八〇年代後半にバブル経済の発生とその崩壊を経験した。バブル経済の崩壊後は、欲望に振り回された結果として、心の荒廃が進んだという反省からか、盛んに「心の教育の必要性」が喧伝された。しかし、その後、心の教育が継続的に実践されているようには見えない。「喉元過ぎれば熱さを忘れる」である。同じことが繰り返され、そしてその度に「心の大切さ」が叫ばれる。

それに対して京都女子大学では、「心の学園」として社会からも高い評価を受けている。それは創立以来、教育理念に親鸞精神を据えた教育が行われているからである。ある時、ある方から「親鸞精神とは具体的にはどういうことなのですか」と聞かれたことがある。私は「親鸞聖人の説かれた阿弥陀仏の教えを通して自分自身を見つめることです」と答えた。つまり、私たちの目は何時も外ばかり向いている。そして社会や他の人を批判し、さまざまな問題の原因は自分の外にあると考えている。この社会を生き抜いていくためには、批判精神を持つことは勿論必要なことである。

しかし社会や他の人を批判ばかりしていては、自分の心に平安が訪れることはない。自分の心がかき乱されるのは、外にばかり原因があるのではない。親鸞聖人はその原因を自分の中に見ていったのである。私たちが不安で落ち着かないのは、自分の姿が見えていないことも大きな要因である。私たちは明かり一つない暗い夜道を歩くのは不安である。足下も見えないし、この先が崖になっているかも知れないからである。しかし、歩いていく先がライトに照らされると、足下も周囲の状況もはっきりと分かり、安心して歩いていくことができる。たとえ進む先に障害物があってもである。私たち自身の心についても同じことが言えるのではないだろうか。

自分のことが一番分かっているのは他の誰でもない、私自身である。しかし、一方で自分のことが一番分かっていないのも自分である。自分のことが分かっていないからこそ、不安で自分自身を持て余してしまうのである。自分自身が闇なのである。そこに光を当ててくれるのが阿弥陀仏の教えである。親鸞聖人が八十五歳の時に書かれ

た『一念多念文意』という書物がある。そこには、

「凡夫」といふは、無明煩悩われらが身にみちみちて、欲もおほく、いかり、はらだち、そねみ、ねたむこころおほくひまなくして、臨終の一念にいたるまでとどまらず、きえず、たえず（註釈版六九三頁）

と記されている。この「凡夫」の姿こそが紛れもない私の姿である。他人の成功を嫉妬するような醜い心を持っているのが私であり、その心は死ぬその時まで失せることはないのである。私たちが日常使う言葉の中にも、「隣の家に蔵が建てば腹が立つ」という言葉がある。また「他人の不幸は蜜の味」という言葉もある。ところが私たちは、そんな醜い心には蓋をし、善人面して他人だけでなく自分自身をも欺いている。こうした自分自身と向き合うところに自身の闇が晴れ、そうした自分自身を受け入れていく安心の境地が生まれるのである。

親鸞聖人の説かれた阿弥陀仏の教えに基づいた教育をしていくことこそが、より具体的な「心の教育」になるのではないかと思う。そうした理念に基づいた教育が、明

治三二年（一八九九）、甲斐和里子女子と駒蔵夫妻が創立した顕道女学院以来、今日まで脈々と受け継がれているのである。

（「分陀利華」第三〇〇号）

宝の山に入りて

新入生の皆さん、ご入学おめでとうございます。希望や不安を胸に京都女子大学へ入学されたことと思います。まず入学式が仏式で行われたことに驚いた人もいることでしょう。正面の扉を開くと本尊（阿弥陀仏）が安置されてあり、その本尊に向かって合掌礼拝する光景に目を丸くした人もいるかもしれません。中には荘厳な雰囲気の中で式典が挙行されたことに感動した人もいることでしょう。

京都女子大学では創立以来百年にわたり、親鸞聖人の説かれた教えを根本に据えた教育が行われています。月に一度、一回生と三回生（短大生は二回生）はA校舎五階の礼拝堂で礼拝の時間が設けられています。礼拝の時間には「さんだんの歌」や「念仏（南無阿弥陀仏）」を唱ったり、法句経などの法語朗読もしています。続いて本学の先生による講話もあります。今まで仏教に縁のなかった人にとっては、不安になって逃げ出したくなるような話かもしれません。しかしそれは仏教に対する誤解と偏見に基づいています。

最近、宗教学者の石井研士氏が書かれた『テレビと宗教』という本を読む機会がありました。石井氏によれば、皆さんも同様の認識を持っていると思いますが、青少年の健全な精神の発達をうながす上で、「暴力的なシーンの多い番組や、極端に性を強調するような番組」は好ましくないという一般的認識はあるというのです。それと同じように、「霊による祟りを強調していたずらに恐怖感を煽ったり、超能力者による行方不明者の透視が成功したように見せたり、占いによる断定的な予言が事実であるかのように報じる番組が、バラエティ番組として平然と放送されていることが、「公共の福祉」にも「文化の向上」にも寄与していないどころか、青少年に対して有害であると認識すべきではないだろうか。」（一三五〜六頁）と述べています。

皆さん自身も、こうしたテレビ番組をもとに自らの宗教観を形成してしまってはいないでしょうか。テレビで流される情報を何の根拠もなく、ただ「テレビだから」というだけで信じ込んではいないでしょうか。大学では、一般的には常識とされていることにも、疑いの目を向けていくことが大切です。しっかりと講義を聞き、また本も読み、色々な知識を蓄えることです。そしてその知識をもとに自分の頭で考えてみることです。そうすれば、いかに自分が狭い範囲の中で、独断と偏見をもって物事を見ていたかということに気づくことでしょう。

本学には宗教部主催の宗教ゼミナールが九つあります。このゼミナールは、卒業単位とは全く関係なく自主的に参加するものです。その宗教ゼミナールの時間に、昨年入学した学生さんと話す機会がありました。その学生さんによれば、受験生時代、京都女子大学への入学を希望していたけれども、問題は仏教学が必修科目であることだったそうです。そこでオープンキャンパスの折に、思い切って対応してくれた学生さんにその思いを話したといいます。そうするとその学生さんから「仏教学の講義おもしろいよ」という返答があったそうです。その先輩のことばを信じて本学の受験を決め、見事に合格したことを話してくれました。先輩の言葉を信じて入学した学生さんは、宗教ゼミナールにも参加し学生生活を謳歌しています。思い込みとは恐ろしいものです。思い込みという殻を破り一歩を踏み出せば、自分が大きく成長することもできるのです。

親鸞聖人が尊敬された日本の僧侶に源信僧都がいます。源信僧都は非常に聡明な僧侶で次のような逸話が残されています。源信僧都が子供の頃、比叡山の僧が仏道修行の一つとして頭陀行にやってきました。その僧は行く先々で差し出された食事を済ますと川で口をすすぎ、手を洗おうとしていました。その様子を見ていた源信僧都は、こちらの汚れた川でなく、反対側に流れているきれいな水で洗うように勧めました。ところがその僧は、「水性もとより浄し、なんぞ清濁をいはんや」と言って、源信僧都の勧めを断ったといいます。すると源信僧都は「ではなぜ口をすすぎ、手を洗うのか」と聞きただしたといわれています。その僧はこうした源信僧都の聡明さを認めて、源信僧都の母親に是非出家させるように勧めたと伝えられています。

その源信僧都の著した書物に『往生要集』三巻があります。これは日本初の本格的な浄土教の教えを明らかにした書物です。撰述されて間もない頃からひろく流布して、思想面ばかりだけでなく、文学や芸術面など広範囲に大きな影響を与えています。その『往生要集』の中に、「もろもろの行者、疾く厭離の心を生じて、すみやかに出要の路に随ふべし。宝の山に入りて手を空しくして帰ることなかれ。」（註釈版七祖篇八四二頁）という言葉が出てきます。浄土を願う人々に対して、苦しみの多い世界を離れたいという心をおこして、すぐに仏の教えを聞くようにと勧めているのです。今、折角仏法を聞く機会に恵まれた世界に生まれているのだから、それを無駄にしてはならないというのです。そのことを「宝の山に入りて手を空しくして帰ることなかれ。」と言われているのです。

新入生の皆さんも折角京都女子大学に入学し、親鸞聖人の教えを通して自分自身と向きあうチャンスに恵まれたのです。入学後の四年間もしくは二年間は人生の中でも数少ない自分とじっくり向き合える時代です。今、自分を大きく成長させる機会を手に入れているのです。すでに京都女子大学という宝の山に足を踏み入れているのです。その機会を活かすかどうかはあなた次第なのです。

（「分陀利華」第三〇二号）

＊「分陀利華」について

「分陀利華」は昭和四十八年四月十六日に創刊されている。創刊号の紙面のトップには「宗教部の素顔」と題して写真がふんだんに使われ宗教部の活動が紹介されている。現在の「分陀利華」では、一面に仏教学担当者を中心に学生に向けた内容の原稿や、宗教文化に関わる内容のもの、宗教行事案内、下段には「澪標」を掲載している。もう一つの面には、仏教学担当者以外の先生方にお願いして、先生の宗教観なり、人生哲学をお書きいただいている。その他には「法のことば」や書評も掲載されている。「仏典随想」は年二回の割合で掲載している。年七回発行しており、最新号は三〇四号である。

澪標

昨年から電車通勤をしている。電車で片道約一時間の距離である。一講時目の講義があるときは七時前に家を出る。電車の中では基本的には本を読んでいる。しかし、本に集中できないときなどは車内の風景を漠然と眺めながら過ごしている。

最近特に目につくのが女性の化粧である。大きなバッグからやおら化粧道具を取り出し器用に化粧している。私はこれまで化粧をするのは身嗜みのためだと思っていた。しかも身嗜みは当然外に出る前、家の中でするものとばかり思っていた。車内で化粧する人は、誰に対して身嗜みをしているのだろうか。

こうした光景を見ていると、私の目にはエゴ丸出しの姿にしか映らない。しかも開き直った姿のようにも思える。側で化粧をされる人間の気持ちなどまるでお構いなしである。このような人たちは、少なくとも周囲に気配りできる人たちではない。そんな人たちが形成する社会とはどんな社会なのだろうか。そのような人たちが大勢を占めた社会は空恐ろしい。

しかし、よく観察していると、こうした人たちの全体に占める割合はまだごく僅かなように思う。大半の女性は人前で化粧などしていない。でも「今の若い娘は…」と言われてしまうのである。大半の女性にとっては実に迷惑な話である。

（「澪標」二九六号）

◇

四月二四日に岸久美子さんの追悼法要が営まれた。岸さんは昨年四月に発達教育学部教育学科心理学専攻に入学したが、今年二月五日病気のため亡くなった。礼拝堂には岸さんを偲んで二百名もの仲間が集まった。音楽法要が営まれる中、生前岸さんが認めた日記などが朗読された。

今年一月一八日のメールには、「生きるってつらいね」と認められている。こんな言葉が漏れる程の苦しい闘病生活だったのであろう。しかし、一方では、「私は、幸せでした。大好きな大好きな大好きな家族や友達がいつもそばにいてくれて」とある。

苦しい状況にありながら感謝の言葉も綴られている。「私のお父さんがお父さんで、私のお母さんがお母さんで、私の妹がゆうちゃんで、本当によかった。『助けてもらうばっかりだ』と泣く私に、『お父さんもお母さんもゆうちゃんも、あなたがいなきゃ生きられないの』といってくれたこと、忘れないよ」と。

また「一人じゃもうどうしても無理って状況になって、苦しんで苦しんで自殺も考えた結果、ああ私は弱いんだ、ということをやっと受け入れられた。そして、弱くていいんだ、とだんだん肩の力みが抜けていった」と自己の心境を述べている。この言葉には、苦しい状況にありながらも、ありのままの自分を受け入れた安らぎの境地すら窺わせるものがある。

（「澪標」二九七号）

◇

宗教学者の井上順孝氏は、『若者と現代宗教─失われた座標軸』（ちくま新書）で、現代の若者はグローバル化の中で「さまざまな宗教伝統、さらには宗教的伝統以外のものからも、さまざまな要素を取り出して、それらを組み合わせ」、新たな宗教を構築しようとしていると述べている。そして、そのような宗教をハイパー宗教と呼んでいる。

ハイパー宗教は「情報時代の感性にあった新しい価値」を生み出す可能性がある一方で、「伝統を切り離したことが、個々の人間にはカオスと不安をもたらす原因にもなりうる。（中略）今後は、多分より深刻な問題として、ハイパー世代につきまとうことになろう」と指摘している。

ここでいう「カオスと不安」とは、とりわけ生と死に関わる問題である。伝統宗教は、「誰もが避け得ぬ死の問題に関しては、それがどのような世界であり、どう向かい合わなくてはいけないかについて、はっきりとした答を備えているのが普通である。伝統的な宗教から、より自由になるということは、そうした問題の解答についても、多くの中から自分で選択したり、自分なりの考えで納得していかなくてはならない、ということになってくる。この状況が、ことにハイパー世代には、重くのしかかってくる」と述べている。

生と死に関わる重大な問題をそもそも、私たちが「断片的な知識をランダムに受け入れる」ことによって、はたして解決可能なのであろうか。

（「澪標」二九八号）

◇

私はここ十年来、ある眼科医院に通院している。そこの眼科医がとてもユニークだ。私が僧侶であることを誰かに聞いたのであろうか。親鸞聖人のことを色々と尋ねてくる。蓮如上人の「御文章」もいくつか暗記している。小さい頃、お祖母さんに連れられ寺参りしているうちに覚えてしまったのだそうだ。

先生はもともと哲学の道を目指していたという。しかし、事情があって医学の道に進むことになったのだそうだ。学生時代は医学の勉強も一生懸命したが、哲学書も沢山読んだと話してくれた。

先生はこれまで親鸞聖人にとって、救いの道がなぜ念仏でなければならなかったのか、よく理解できなかったと話してくれたことがある。そこで私の立場から、念仏の意味を説明させてもらうと、目を輝かせながら本当に楽しそうに聞いてくれた。先生はまた哲学の立場から熱く語る。時には片手に目薬を持ったまま診察中であることも忘れて。こんな先生の姿を見ていると私も嬉しくなる。私の疾患も自然と治ってしまうのではないかと思ってしまう。

その先生が最近強調するのが国語力である。何故なら、思索は外国語ではなく、母国語でするからだというのである。そして最近の言葉の乱れを心配している。言葉の乱れは思索に直結するからだ。

（「澪標」二九九号）

◇

最近、姜尚中（カン サンジュン）氏の『悩む力』（集英社新書）を読んだ。姜氏の専門は、政治学・政治思想史であるが、現代社会、人間を鋭く分析してあり、仏教にも通じるところがあって、興味深く読むことができた。

姜氏は現代社会の特徴の一つとして、「自由」の拡大をあげている。しかし、現代人はそれに見合うだけの幸福感を味わっているかどうか疑問を呈している。「いつも余裕なく急き立てられて、人と人との関係もパサパサな殺伐とした味気ないものになりつつある」（一三頁）と述べている。

最近、「自由」というものをはき違えているのではないか、と思われるような事象も目に付く。たとえばクレーマーの存在である。学校や病院、役所等に言いがかりをつけ、当事者や周囲の人々をかき回す存在である。こうした人々は、他の人々を傷付けているばかりでなく、自身を傷付けていることに気付いていない。

一時ほどではないにしても、「癒し」という言葉がもてはやされている状況も、余裕なく急き立てられた日常を反映したものと見ることもできよう。電車の中で携帯電話を手放せないでいる人を見かけることも多い。目の前の友達と話をしながら、お互いの手には携帯電話が握りしめられ、他の人にメールを打っている光景に出くわすこともある。これではとても豊かな人間関係が築けるはずもない。何時も忙しなく何かしているのは、ひょっとすると、忙しさを装って寂しさを覆い隠しているだけなのかもしれない。姜氏も「多くの人びとがかつてないほどの孤立感にさいなまれている」（一四頁）と指摘している。

本書の中で特に興味深かったのは、自身の生き甲斐を語る箇所で、「たぶん、お金や学歴、地位や仕事上の成功といったものは、最終的には人が生きる力にはなりきれない」（一五七頁）と述べ、「究極的には個人の内面の充足、すなわち自我、心の問題に帰結すると思う」（一五七頁）と語っている点であった。

（「澪標」二九九号）

◇

往復三時間ほどの通勤時間が、気分転換をするには大切な時間となっている。車窓を眺めながら取り留めのないことを考えていることもあるが、多くは本を読む時間に当てている。

ストレスの多い社会環境のためか、最近心を病む人が多くなっているようである。本屋に立ち寄った際に、精神科医の香山リカ氏の書かれた『「私はうつ」と言いたがるひとたち』が目にとまったので、早速買い求め読んでみた。本書によれば、受診する人の中に本当に深刻な病状に苦しんでいる人から、「私うつ病みたいです。休職したいので、診断書ください」と気軽に受診してくる人までいろいろとのことである。後者などは、現実逃避のためにうつ病を利用しているようにもみえる。本当にうつ病で苦しんでいる人にとっては、後者と同様に扱われては本当に迷惑な話であろう。

本書の中で特に心にとまったのは、「親子の悩み、恋愛の悩み、社会に対する悩み、そして生や死、存在の悩み、人生に悩みはつきもののはずだが、いまの人たちはそれらにじっくり向き合い、葛藤し煩悶し、文学や哲学、宗教、人生の先輩などに答えを求めようとしてさまよう、といったことがとても苦手だ。」という指摘である。

悩むことは決して悪いことではないし無駄な時間でもない。人生の悩みにじっくりと向き合うことから、新たな発見もあるであろう。現代人は自分と向き合う時間がないのか、あえて向き合おうとしないのか、いずれにしても、大いに悩んで自分とじっくり向き合う時間は必要だ。

（「澪標」三〇〇号）

◇

年も改まり新しく二〇〇九年がスタートしました。皆さんは新年をどのように迎えられたでしょうか。「今年こそは」あるいは、「今年も」との思いをもって迎えられたことと思います。

素晴らしい一年にするか、逆に駄目なつまらない一年にするかは、自分次第かも知れません。もちろん外的な要因がないとは言いませんが、自分の心のあり方に負うところが大きいように思います。

昨年もよく耳にしたのが「自分探し」という言葉です。今の自分は本当の自分ではないということなのでしょうか。今の自分とは違った本当の自分がどこかにいるというのでしょうか。「自分探し」のため、仕事を放り出して旅に出たりする人もいるようです。気分転換に旅に出ることは悪いことではないでしょう。しかし、今の自分とは全く違った自分なんて果たしているのでしょうか。タマネギの皮をむくようなことになりはしないでしょうか。

ジャーナリストの櫻井よしこ氏は、『日本人の美徳』の中で「若い人で、「この仕事、私に合わない」と言う人がいますね。（中略）二〇代そこそこで自分に何が合っているかがわかるとは思えません。無理だと思います。自分に絶対に合わないと思っていたような仕事が、意外に好きになったりすることは身近にいくらでもあるのですから。私自身がそうでした」と述べている。これを書いている私自身も仏教を学ぶようになるとは夢にも思っていませんでした。
素晴らしい一年にするためにも、今の自分としっかり向きあって欲しいと思います。

（「澪標」三〇一号）

◇

満開の桜が咲き誇る女坂を登りながら、京都女子大学への入学を実感していることと思う。またこれから始まる学生生活に胸をふくらませていることであろう。
京都女子大学は、創立以来百年の伝統を誇り、社会からは京女の名で親しまれ、高い評価を受けている。だからこそ、新入生の皆さんも京都女子大学への入学を希望されたのであろう。これまでの伝統を引き継ぎながら、さらに発展させていくのは皆さんの双肩にかかっている。大学では勉学は勿論のこと、クラブ活動や友人との交流など楽しいことが盛りだくさんである。しかし、基本は勉学にあることを忘れてはならない。

大学ではこれまで知らなかった知識を身につけることができる。その際の姿勢として、専門科目は勿論のこと、専門外の講義にも謙虚に耳を傾けることだ。どの先生方も、少しでも多くの知識や考え方を吸収して欲しいとの熱い思いを持っている。しかし、講義内容は高度なものである。皆さんもその高度な内容を学ぶために、京都女子大学へ入学したはずである。たとえ戸惑いを覚えても、それは誰もが一度は抱える戸惑いである。ねばり強く乗り越えていってもらいたい。

またこれから始まる学生生活で自分自身ともしっかり向きあって欲しい。自分というものがはっきりすることによって、自分との折り合いもつき、周囲に対しても謙虚に接することができるようになるであろう。自分をしっかりと見つめ、謙虚な姿勢をもって、これから始まる大学生生活を謳歌してもらいたい。

（「澪標」三〇二号）

◇

私は仕事柄いろんな方のお話を聞く機会がある。お陰で私の知らない世界の話を聞くことができて楽しい。その方たちは、必ずしも社会の中で功を遂げた方ばかりとは限らない。市井でごく普通の生活をしている方も沢山いる。

先日ある集まりで一人の男性がしみじみと現在の心境を語ってくれた。現在落ち着いた暮らしができるのは、義母のお陰だというのである。六十代の方であるが、若い頃は経済的にも随分と苦労されたらしい。しかし、その自分を物心両面から支えてくれたのは、養子先の義母だったというのである。感謝の言葉が次から次へと溢れ出た。

またある年輩の女性は、若い頃ご主人を病気で亡くされ、自分ではあまり多くを語らないが、随分と苦労されたようである。この方は定年まで会社勤めをされ、定年後は趣味の裁縫や読書、寺でお話を聞くのを楽しみにされている。

紹介したい方は他にも沢山いるが、どの方にも共通しているのは話していて清々しいのである。それは飾った謙虚さではなく、自分を知り尽くしたところから出てくる謙虚さを持っているからではないかと思う。この方たちには現在の立場が最初から用意されていたのではない。むしろ過酷な人生を歩んできた方々である。

ところが、社会一般の風潮として、自分のことしか考えることができず、最初から自分のための居場所が用意されていると勘違いしている人もいる。そのような人からは不平不満ばかりが口をついて出てくる。不平不満ばかりの積み重ねの先には、不平不満ばかりの未来しか待っていない。

若い皆さんはどのような人生を歩もうとされているのであろうか。どのような人生を歩むにしろ、老境に入っても不平不満ばかりが口をついて出るような人生であって欲しくはない。そのためには今をどのように生きなければならないか考えてみる必要があろう。

（「澪標」三〇三号）

◇

最近介護を取り上げたテレビ番組を見る機会があった。新米介護師が一人で当直することになり、慌ただしく老人たちの世話をする場面が放映されていた。新米介護士にとって初めての当直であり、なかなか上手く老人の介護ができない。その介護士は徘徊する老人を追い回し一時も心休まるときがない。中に一人、介護師に一生懸命話しかけようとする老人がいた。しかし、新米介護師はその老人の話し掛けには「ちょっと待って、あとで」と言うばかりで取り合う余裕がない。徘徊する老人を追いかけるのに精一杯なのである。

先輩の介護師が心配して様子を見に来た。そして新米介護師に取り敢えず座るように指示する。「君が落ち着かないから、介護される側も落ち着きがなくなるのだ。とにかく君が落ち着かなければダメだ。今、一番介護が必要なのは、君に一生懸命話し掛けているあのお婆さんだよ。」とアドバイスした。その先輩のアドバイスに従って新米介護師が座ると、徘徊していた老人たちも皆落ち着いてきたのである。現象面だけを見れば、老人たちが落ち着きなく動き回るから、介護師も一生懸命動き回って落ち着かせようとしていたのである。しかし、老人たちに落ち着きがなかったのは、実は介護師の方に余裕がなく、いたずらに動き回ったことに原因があったのである。

こうしたことは我々の日々の生活でも言えることではないだろうか。何か問題を抱えると、我々はついその原因を外に求めがちである。しかし、実は自分の中にその原因があったという場合も多いように思う。

新米介護士は当初、外の状況にばかり振り回されていたのが、先輩のアドバイスによって問題は自分の方にあったことに気付いたのである。私たちも自分自身を知る目をもつことは大切である。それによって、自分を取り巻く状況も大きく変わってくるかもしれない。しかし、新米介護士と同様、自分ではなかなか自分自身を知ることは難しい。五月二十一日は親鸞聖人の誕生日、降誕会であった。そのヒントは聖人の葉の中にあるように思うがどうであろうか。

（「澪標」三〇四号）

＊「澪標」について

広辞苑の最初の説明には次のようにある。（「水脈〈みお〉の串」の意）通行する船に通りやすい深い水脈を知らせるために立てた杭。歌で多く「身を尽し」にかけて使われる。

このコーナーは「分陀利華」の下段に毎号掲載されている。

尊号真像銘文

本願寺では毎年七月の中旬から下旬にかけて二週間安居が開かれている。この安居とは、もともとインドで雨期の間、出家者が一定の場所に止まって行った研修をいう。その習慣にならって本願寺でも、七月に安居が開かれるようになったのである。遠近各地から集まった僧侶たちが、暑い中熱心に講義を聞いたり、この一年間自分で研修してきた内容を発表するのである。

私は今年、親鸞が晩年に書いた『尊号真像銘文』という聖教について講義した。書名にある「尊号」とは、例えば「南無阿弥陀仏」といった仏の名前（名号）のことである。また「真像」とは、浄土真宗に縁のある高僧方の絵像（肖像画）のことをいう。この尊号や真像を表装し、その上下に経典などの言葉（銘文）を記して、礼拝の対象としていたのである。この銘文を集め、その意味を解説したのが『尊号真像銘文』である。

本書には二本の真蹟が残されている。一本は建長七年、親鸞八十三歳の時に書かれたものであり、もう一本は正嘉二年、親鸞が八十六歳の時に書かれたものである。両本は年号にちなんで建長本、正嘉本と呼ばれている。建長本には十六の銘文が所収されている。それに対し、正嘉本はそれより五文多い二十一文が収められている。体裁も正嘉本の方が建長本よりも整っており、おそらく正嘉本は建長本を推敲したものであろう。

親鸞はどのような目的をもって本書を書かれたのか、その目的については建長本にも正嘉本にも記されていない。しかし、ほぼ同時期に書かれた『一念多念文意』や『唯信鈔文意』には、晩年京都で過ごした親鸞が、関東の門弟たちに向けて、念仏の教えが説かれた経典などの意味を正しく伝えるために書いたと記されてある。本書も恐らく同様の目的をもって書かれたものと思われる。

今回『尊号真像銘文』をじっくりと読んでみて、改めて八十を過ぎた晩年になってもなお衰えることなく、念仏の教えによって救われた喜びと、その教えをより多くの人々に伝えようとする親鸞の迫力に圧倒される思いがした。

（「仏典随想」）

＊「仏典随想」について

経典や念仏の教えを明らかにされた祖師方の著述や、親鸞聖人の残された著述を解説するコーナーである。

本当の幸せとは（講話）

こんにちは。「本当の幸せとは」という講題を付けていますが、今日は「自分自身と向き合うことが如何に大切か」ということについてお話ししたいと思います。

レジュメをご覧下さい。岸久美子さんは、二〇〇七年に本学の教育学科心理学専攻に入学されました。しかし、昨年の二月五日に、病気で亡くなられています。岸さんは、高校時代から重い病気を患い、苦しい状況の中で受験勉強されたと聞いています。厳しい状況に置かれていたにも拘わらず、一生懸命頑張って、一般入試で見事に本学の心理学専攻に入学されました。将来はカウンセラーになりたいという夢を持っていました。入学後は小松寮に入って、多くの友人たちと共に過ごしました。病状が進行して自力歩行ができなくなってからは車椅子で学園生活を送られています。

周囲に対して非常に気遣いのできる人だったようです。車椅子は、少しの段差があっても乗り越えられません。遠回りしなければなりません。それを不満に思ったり、文句を言ったりすることは決してなかったと言います。むしろ、周囲に対して、「ありがとうございます」と、常に感謝の気持ちを言葉にしていたと聞いています。四月に入学して六月までのわずか三カ月の学園生活でした。六月には入院を余儀なくされ、実家に戻られています。

岸さんは、闘病生活の中で、メールや手記を残されています。今年の一月十八日、死の直前には、「生きるってつらいね。お母さん」というメールを残しています。ちょうど皆さんと同じ年ごろで、しかも同じような時期に書かれたものです。

また「生きるってつらいね。お母さん」というメールを書かれる一方で、「私は、幸せでした。大好きな大好きな大好きな家族や友達がいつもそばにいてくれて、これ以上はないくらい楽しい思い出をいっぱいくれて、本当にたくさんの人たちに応援してもらいました。思えば、この十九年間、全力疾走して生きてきた気がします」と書かれた文章が携帯電話に残されていたといいます。

一月十八日のメールには、「生きるってつらいね」とありました。それはしんどかったのだと思います。つらい治療を受け、精神的にも肉体的にも非常につらかったのだと思います。だから、「生きるってつらいね」と記されたのでしょう。しかしその一方で、「私は幸せでした」とも書かれてあるのです。それは、「大好きな大好きな大好きな家族や友達がいつもそばにいてくれて」とその理由が記されてあります。さらに、「本当にたくさんの人たちに応援してもらいました。思えば、この十九年間、全力疾走して生きてきた気がします」と感謝の気持ちと精一杯生きてきたことが記されています。

また「私のお父さんがお父さんで、私のお母さんがお母さんで、私の妹がゆうちゃんで、本当によかった。『助けてもらうばっかりだ』と泣く私に、『お父さんもお母さんもゆうちゃんも、あなたがいなきゃ生きられないの』と言ってくれたこと、忘れないよ」とも記されてあります。

岸さんは、自分が掛け替えのない存在であることを、家族の愛情を通して確認されたのだと思います。この文章を見ると、「幸せ」という言葉が適切かどうかわかりませんが、苦しい中にも幸せな人生を歩まれたことが窺われます。

岸さんが闘病生活を通して自分自身と向き合う中で受け止めた心境を次のように綴られています。「メールや電話でも、本当は大泣き寸前なのに、前向きな言葉を言って終わらせなきゃ、と『いつも笑顔で前向きな久美ちゃん』を壊せなかった。でも、一人じゃもうどうしても無理って状況になって、苦しんで苦しんで自殺も考えた結果、ああ私は弱いんだ、ということをやっと受け入れられた。そして、弱くていいんだ、とだんだん肩の力が抜けていった」とあります。皆さんと同い年の一年先輩の女の子が、ちょうど一昨年の今ごろに書いた文章です。

「苦しんで苦しんで自殺も考えた結果、ああ私は弱いんだ、ということをやっと受け入れられた。そして、弱くていいんだ、とだんだん肩の力が抜けていった」と、自分自身を受け入れています。「今の私」を受け入れた姿が、ここに述べられています。ここには安らぎすら感じられます。苦しい状況の中で、「これが私なんだ」と受け入れていった岸さんの姿が、ここから読み取れると思います。

岸さんは、また「私たちにできることは、今を一瞬一瞬生きることしかできないのです」とも言っています。岸さんには向き合わざるを得ない厳しい状況がありましたが、自分自身としっかり向き合いその中で至った心境を表現したものでしょう。客観的には非常に厳しい状況しかありませんが、その厳しい状況の中で、自分の存在をしっかりと見つめ、生きる意味を見いだしているのです。

岸さんは十九年間の生涯でした。皆さんは、これからあと何年生きるかわかりません。中には百歳まで生きる人もいるかもしれません。そうすると、あと八十年の寿命が残されていることになります。しかし、限りある命を生きている点では皆さんも岸さんと同じです。「長い・短い」はありますが、私たちも、今、限りある命を生きているのです。それにもかかわらず、私たちはただ徒に時間を費していることはないでしょうか。

岸さんは、限られた命の中で自分自身としっかりと向き合って生き抜かれました。

そして、厳しい状況の中で、「私は私でいいんだ」と自分を受け入れて自身の生涯を全うされたのです。一瞬一瞬を大事にして生き抜かれたのです。

皆さんの先輩をもう一人紹介したいと思います。鈴木章子さんです。皆さんのだいぶ先輩で、昭和十六年五月十七日に北海道で生まれ、昭和三十七年に京都女子大学短期大学部を卒業されました。幼稚園の園長先生でした。昭和五十九年四月に、「先生」と自分の胸に飛び込んできた園児を抱き抱えたときに、胸に激痛が走りました。病院に行くと、ドクターから、「乳がん」という告知を受けました。

乳がんは、今は早く見つかれば死の病ではなく治る病気ですが、進行していて当時の医療技術では難しかったのかもしれません。乳がんが肺や肝臓や脳に転移して、昭和六十三年十二月三十一日に亡くなっています。

鈴木章子さんは、京女で仏教学の講義を聞き、礼拝の時間にも参加し、自分自身と向き合う生活を送っていました。そして、親鸞聖人の念仏の教えに生きた人です。苦しい闘病生活の中で、自分自身と向き合って生きていかれました。
資料としていくつか詩を載せてあります。これは、闘病生活の中で、自分の子どもたちに自分の思いを伝えておきたいと書き残した詩や文章です。それが、『癌告知のあとで～なんでもないことが、こんなにうれしい』（探究社）という本となって出版されています。図書館にも入っているはずです。宗教教育センターにも置いてあります。関心のある人は、ぜひ一度読んでみてほしい一冊です。その中に「子どもたちどうか偉くならないで」という詩があります。一度読んでみます。

子供達どうかえらくならないで…

啓介　大介　慎介　真弥
えらくなってくれるな
えらくなれば
鼻が高くなる
頭があがる

啓介　大介　慎介　真弥
立派になっておくれ
人間立派になれば
頭が下がる
えらい人と立派な人
混同してはいけない
深く深く
味わって生きておくれ
人間の生　深く味わえる人が
立派な人だ
立派な人って
何気ない人達の中に
たくさんいる

バッジをたくさんつけた人の中
仲々
見当たらないものだよ
バッジが
立派になる事を邪魔するからだよ
たとえバッジが
たくさんついたとしても
お前はお前だよ
邪魔になるバッジは
できるだけ
つけぬ方が
ボンクラには良い
私は私で良かったという満足で

お前の心を

満杯にしておくれ

自分が子どもを生んで母親になって、若くして先に死んでいかなければいけないときに、子どもたちにどう言い残して死んでいくだろうか、何を伝えようとするだろうか、想像してみてください。今、自分が子どもに伝えるとしたら、どんなことを伝えようとするだろうか。自分の子どもには、今、自分が一番大切にしているものを伝えようとしますよね。

母親の子どもに対する愛情は、父親にはとてもかないません。母親の子どもに対する観察力や洞察力はすごいと思ったことがあります。私の子どもは、現在上が大学三年生、次が大学二年生、高校二年生ですが、まだ小さい頃、長女が夜中に高熱を出したことがあります。今は彦根に住んでいますが、当時は京都に住んでいました。冬の寒い夜でした。私は心配で妻に「病院に連れていこう」と言いました。そうすると妻は、「いや、その必要はない」と言います。「だって、こんなに高い熱が出ているじゃないか」と言いますと、妻は、「いや、たとえ熱が高くても、今外に連れ出すことと、ここで暖かくして寝かせておくことを考えたら、寝かせておくほうがいい」と言います。私はそれでも心配で、「病院に連れていこう」と繰り返し言いました。しかし妻は、「大丈夫、朝まで待とう。今病院に行っても、どうせ解熱剤をもらうぐらいで、『また明日の朝来てください』と言われるだけだから、今は寝かせておいた方がいい」と言いました。私は妻の気迫に負けて、朝まで待つことにしました。そして、あとは子どもの様子を見守ることになりました。

しかし、実際に見守ったのは妻だけでした。私は「病院に連れて行こう」と大層心配しておきながら、子どものそばでつい寝てしまいました。でも、妻は朝まで寝ずにずっと様子を見守っていて、朝、病院が開いてから子どもを連れていきました。それほどに母親の子どもに対する愛情は深いのです。母親はいつも子どもをよく観察しているからその様子が分かるのでしょう。

私の母は、例えば、「自分の子どもが隣の部屋で寝ていても、子どもに何か異変が起きたら分かるもんだ」と言ったことがあります。私にはにわかには信じがたいことですが、母親は、それくらい子どもと一体で子どもが可愛いということなのでしょう。だから、子どもを残して母親が死んでいかなければならないことがどんなにつらいことか、想像できるでしょう。皆さんが将来母親になったとき、子どもに何を伝えていこうと思いますか。鈴木さんは、この詩で表現しているような内容を子どもたちに伝えようとされました。

皆さんは、もう「バッジ」をいくつか着けています。一つは、「京都女子大学の学生」というバッジです。京都女子大学は、皆さんの先輩のおかげで、社会から高い評価を受けています。「私は、ここは滑り止めだったんだ。本当は来たくなかったんだ」という人も中にはいるかもしれませんが、それでも京都女子大学は誇れる学校だと私は思います。皆さんは、そういうバッジを既に着けています。そして、すばらしい容姿と若さがあります。いろいろなバッジを皆さんは身に着けています。

しかし、鈴木章子さんは、子どもたちに「そのバッジに惑わされてはいけないよ」

と伝えたかったのでしょう。私たちは、日ごろ元気にしていると、一流大学に入って、上場企業に就職し、すてきな彼と結婚して、贅沢な生活をすることが幸せだと考えがちです。それが悪いのではありませんが、それだけに目がくらんでしまうと、「自分」がわからなくなってしまいます。

鈴木さんは、自分が死んでいくときに、「一番大切なものは何か」ということを子どもたちに伝えたかったのです。鈴木さんが子どもたちに伝えたかったことは、「バッジじゃないんだ。バッジもいいかもしれないけれども、バッジばかりに目が行って、自分自身を見失ってはいけないよ。しっかりと自分自身を見つめて生きていっておくれ」ということだったのではないでしょうか。

次の詩は、鈴木さんが書いた詩の中でも、特に好きな詩です。「幸福を呼ぶお茶」という詩です。鈴木さんは既にがんの末期にあることを頭に入れて読んでください。

幸福をよぶお茶

誰から私の病を聞いたのか

「幸福をよぶお茶」というのを
売りにきた
癌の末期患者が治るとの事
「いつ死んでもよし」と
生への執着離したつもりが
こんな話をきく度
ふと　そんな気になる
仲々　離しきれぬ手を見せてくれる

この詩で表現されている鈴木さんの姿は格好悪いかも知れません。もう治らないことはよく分かっているが、「『このお茶を飲んだら、がんの末期患者でも治るんですよ』と言われたら、それに飛び付いてしまう」と告白しています。でも、「だから私はだめな人間だ」という内容では決してありません。子どもに向けて、「これがありのままのお母さんなのよ」と言っているのです。格好いい母親ではなく、生に執着する母親の姿です。

でも、鈴木さんは「こうあらねばならない」ではなく、「これが私なのよ。だから、よく見ていてね」、自分自身も、「これが私なんだから、残り少ない生だけれども、この私を受け入れて生きていくんだ」と満足されています。

私たちの生きざまは、人にいい格好ばかり見せようとします。そして、自分自身も他人もごまかしています。芯の通らないふらふらした生き方をしています。それでいて、自分は強いと勘違いしています。人に文句ばかり言い、批判ばかりしています。何かあると、悪いのはみんな他人で、私は正しいという顔をしています。

鈴木さんの生き方は、人間の弱く醜い姿をそのままさらけ出し、「これが私なのよ。だから、こんなお母さんの姿を見ていて。私はこれでいいんだ」と言っています。私たちとは対照的な姿です。むしろ鈴木さんの方が余程私たちよりも強いのではないでしょうか。ありのままの自分を否定せず、肯定して生きています。

鈴木さんがこのような生き方に気付かされたのは、親鸞聖人の教えのおかげだったのです。鈴木さんは、親鸞聖人の説く阿弥陀仏の教えをずっと聞いてきて、最後まで阿弥陀仏の教えを拠り所に生き抜かれた人です。

その次の「凡夫」という詩も、今私が言ったことをよく表しています。「凡夫」とは、煩悩を持った私たちのことをいいます。自己中心的で自分勝手で自己本位な心を持った人間のことです。

　凡夫

私が凡夫であるという事が
子供達の救いになるでしょう
凡夫で良かった
ありがとうございます
　南無阿弥陀仏

鈴木さんは、痛いときは、「痛い」と言い、「何で私がこんな病気にならなきゃいけないのよ」と愚痴をこぼしたかもしれません。しかし、「それではいけないんだ」とは言っていません。ありのままの自分を受け入れています。それは仏様の教えによって気付かされたことでした。それが、「南無阿弥陀仏」という最後の言葉で表現されています。そして、この「南無阿弥陀仏」という言葉には「ありがとうございます」という気持ちが込められていると思います。

今度は詩ではなく文章で書かれたものを見てください。題は、「子らよ受け取れ、母の死を」です。

「子らよ受けとれ　母の死を」

婦長さんから「鈴木さん、あなたは高校の息子さんが卒業なさるまでの三年間、生きていたいということでしたね、あなたは、子供さんに何をしてやりたいと思って三年とおっしゃったのですか。参考までに聞かせてください」と尋ねられました。それは私の全てを傾けるほどの大きな問いかけでした。この三年、子供たちに何をしなければならないのだろうということが、入院中頭から離れられないテーマでした。考えても考えても分かりませんでした。というのは、学資は私がいなくても仕送りができる。ご飯は私がいなくても食べられる、子供たちは私がいなくてもちゃんと生きていけると分かったとき、自分というものが明白でないまま生きてきたんだなと気づかされました。そこで退院のとき婦長さんに「私は、自分のしなければならないことがやっと分かりました。ガンでも逃げないで引き受けていく姿を、子供たちにみせていきたい。そうすれば子供が大きくなったときに、ガンでも逃げなかったお母さんだから、僕たちも逃げてはいけないと、生きていってくれるに違いない。ガンでも笑っていたお母さんというイメージを、三年間残し続けようと思います」と手紙を書きました。（中略）あるときふっと考えたことは、果たしてガンでも笑っていられるのかなということでした。もしガンの痛みに支配されたとき、どんな私になるかも知れない。お腹の中のどろどろしたものを吐きださない以上、死ぬにも死ねないのじゃないかしら……というところにつき当たりましたら、ガンでも笑っていたお母さんではいられないということが分かってきました。今、私が子供たちに願うことは、お母さんがガンになって何に気づかされたか、そしてお母さんはどこに帰っていくのかということを、しっかり見てほしいと思います。

中略以降と前では少しニュアンスが違うと思います。注意して読んでみてください。中略のあとには、「あるときふっと考えたことは、果たしてガンでも笑っていられるのかなということでした。もしガンの痛みに支配されたとき、どんな私になるかも知れない。お腹の中のどろどろしたものを吐きださない以上、死ぬにも死ねないのじゃないかしら……というところにつき当たりましたら、ガンでも笑っていたお母さんではいられないということが分かってきました。今、私が子供たちに願うことは、お母さんがガンになって何に気づかされたか、そしてお母さんはどこに帰っていくのかということを、しっかり見てほしいと思います」と書かれてあります。

前半と後半が違うことはわかると思います。前半は、「理想の母でありたい」という思いが出ています。ところが、後半は少し違って、「現実の私、ありのままの自分を子どもたちに見てほしい」という思いに変わり、「それでいいんだ」というところに落ち着いているように思います。前半は頑張る理想的な母親像です。後半は肩の力が抜けています。「あるがままでいいんだ。それを子どもたちに見せたらいいんだ」という心境の深まりを窺うことができます。

鈴木さんのこの心境の変化は念仏の教えによるものです。親鸞聖人が説く阿弥陀仏の教えは、自分自身のありのままの姿に気付くよう促しています。そこに安心感が生まれるというのです。

仏教学や礼拝の時間は、自分自身と向き合う時間です。日ごろは、勉強や遊びやいろいろ忙しく毎日を過ごしていて、自分と向き合う時間がなかなか持てません。だからこそ、自分と向き合うために礼拝の時間が設けられているのです。念仏の教えを通して自分と向き合い、ありのままの姿に気付かされたときに、人間はほっとできるのです。ほっとできれば、今度は自然体で力強く生きていくことができます。

岸さんにしても鈴木さんにしても、私たちと比べると、自然体でかつ力強い生き方をされているでしょう。私たちは、自分の弱さを見まいとして空元気を出して生きているだけなのかもしれません。ところが鈴木さんや岸さんは、足が地に着いています。現代の平均寿命からすれば、お二人とも短い命だったかもしれませんが、その生を精いっぱい全うされています。こういうお二人の生き方を見ると、私たちが礼拝の時間を設けて、自分と向き合うことが如何に大切なことかということが分かるかと思います。

最後に親鸞聖人の言葉を紹介したいと思います。『一念多念文意』（註釈版六九三頁）の言葉です。親鸞聖人は九十歳で亡くなりましたが、八十五歳のときに書かれたものです。この中に、

「凡夫」といふは、無明煩悩われらが身にみちみちて、欲もおほく、いかり、はらだち、そねみ、ねたむこころおほくひまなくして、臨終の一念にいたるまでとどまらず、きえず、たえず

とあります。この「凡夫」を「私」と置き換えて読んでみて下さい。「私とはどういう存在なのか」ということがよく分かると思います。

「無明煩悩」は、「無明」も「煩悩」もここでは同じ意味で、煩悩のことです。つまり、「利己的な心を持った私」、「自分中心にしか考えられない私だ」と示されています。次は私がもっている煩悩の具体的な姿です。「身にみちみちて」とは、煩悩が私に満ち溢れているということです。「欲もおほく」は貪欲のことです。そして自分の思いどおりにならないと腹が立ちます。例えば、好きな人に告白したら、彼が、「僕は、君のことは友達以上には考えられない」と言います。そこまでなら仕方ないと許せます。ところが、彼が「好きなのはいつも君と一緒にいる彼女の方なんだ。僕の気持ちを彼女に伝えてくれ」と言われたら、「いいかげんにしてよ。ふざけないでよ」となります。今まで好きだった人が、その一言で急に憎らしくてたまらない存在に変わってしまいます。それが「欲もおほく」、そして、「いかり、はらだち」ということです。そのあとの「そねみ、ねたむこころおほくひまなくして」の、「そねみ、ねたむこころ」とは嫉妬心のことです。善いか悪いかの問題ではありません。なるべくなら持ちたくありませんが、自分の中にないと言い切ることはできないのではないでしょうか。悲しいことに私たちは、他の人の成功を素直に喜ぶことができません。京都女子大学が第一志望だった人にはわからないかもしれませんが、第一希望はほかの大学で、試験がうまくいかなくて京都女子大学に入った人は、目指す学校に合格した高校時代の友達と会ったときに、素直に、「おめでとう」と言えるでしょうか。多分、「おめでとう」とは言うでしょうが、何か割り切れない気持ちが残るのではないでしょうか。それが嫉妬心です。「隣の家に蔵が建てば腹が立つ」という言葉があります。人の成功は面白くないということです。この話をしたら、私が担当しているクラスの学生が、出席カードの裏に、「『他人の不幸は蜜の味』という言葉もありますよね」と書いてくれました。そういう心理は私たちの中にありますよね。善いか悪いかではありません。善悪をいえば、悪いに決まっています。しかし、悲しいことに自分の心の中にそういう心があることは否定できません。そして「臨終の一念にいたるまでとどまらず、きえず、たえず」とあります。「そんな醜く弱い心は、私たちの心から死ぬまで消えない。それが私だ」と、親鸞聖人は言っているのです。私たちは、日頃そういう弱く醜い心には蓋をして見ようとしません。でも、岸さんや鈴木さんは、自分はいいところもたくさんあるが弱い面も持ち合わせていることをしっかりと見つめ、その自分をありのままに受け入れています。特に岸さんは十九歳という短い人生でしたが、見事な人生を全うされました。ありのままの自分自身をしっかりと受け止め、短くはあったけれども力強く自らの生を全うされました。

私たちも、いずれは死んでいくこと、今限られた命を生きていることにおいては、岸さんや鈴木さんと一緒です。この限られた人生を充実した人生にしていくためにも、しっかりと自分自身と向き合っていって欲しいと思います。

この私の講話を聞いた学生の感想を一部紹介します。京都女子大学では親鸞精神を建学の精神として教育を行っています。そのため仏教学が必修科目となっています。四大生は一回生と三回生で、短大生は一回生と二回生で仏教学を受講します。そして年六回礼拝の時間が設けられています。三帰依、念仏、さんだんの歌、法語朗読の後、講話を聞きます。そして最後に恩徳讃を歌って終わります。出席カードには講話の感想を書くことになっています。文学部国文学科三回生の仏教学を担当されている徳永道雄先生のご厚意により、また学生諸君の諒解も得てここに講話の感想を五点ほど載せさせていただきました。他にも紹介したい感想も沢山ありましたが、紙面の都合で今回は五名の学生さんの感想を載せさせていただきました。

今回わざわざ学生の感想を紹介した意図は、現代の若者も、素晴らしい宗教的感性を持っていることを多くの方々に知っていただきたいとの思いからです。

学生の感想

今日のお話を聞くなかで一番心に残ったことは、生きていくなかで自分自身と向き合うことの大切さと難しさです。思えば私は今まで「頑張らなくては」とか「褒められたい」とか、がむしゃらになって生きてきた気がします。そのことがとても恥ずかしく思えてきました。「私は私のままでいい」という言葉を聞いたとき、何故かとても穏やかな気持ちになることができました。この一年間、仏教学の勉強を通して生きることについて考えていきたいです。そして一年間だけではなく、今後生きていく中でずっと考えていきたいと思います。（大国三回生　安藤三央）

年の近い人の話を読むと、あらためて自分が何事もなく生きていることは当たり前のことではないと気付かされます。私はおかげさまで不自由のない生活を送っているので、それが当然のことのように思ってしまいます。本当は数え切れない程の人に支えられ生きています。病気になって初めて気付いた人、悟った人がのこしてくれた思いを少しでも理解し、自分はなぜ生きているのか、生きるとは何かを考えました。

普賢先生がおっしゃった通り、人間にとっての最大の喜びは自分を認めてもらう事だと思ったし、だから自分をよく見せようと欲が出るのだと思いました。なので自分を甘やかすのではなく、ありのままの自分を受け入れることで自分自身を認めると、それは安らぎになるのではないでしょうか。なかなか弱くて汚い自分を認知するのは難しいですが、きっと何か根本的な考え方を変えるとスイッチを変えるようにできるのではと思いました。

（大国三回生　堀井佳織）

私たちが日々流されるように生きているとき「死んだらどうなるのだろう。死にたくない」と死について考えます。しかし死を目前に感じたとき、「今までの私の人生はどうだったか、そしてこれからどう生きていこうか」と生について考えるようになる気がします。

死を見つめるのではなく、生に目を向けることによって自分自身の弱さや、存在を受け入れることができるのだと思いました。理想を語るのは簡単ですが、あるがままの自分を受け入れるのは、とても苦しいことだと感じます。しかし、自分を認め、受け入れることがあらたな生を考えるきっかけになるのではないかと思いました。

（大国三回生　田中彩加）

本当の幸せとは自分が全力疾走して生きていることを自分で実感できることだと思った。自分自身を見つめ直し、自分を受け入れることができれば、どんな困難にあっても、乗り越えていけるというより、困難の中にある自分を受け止め前に進んでいくことができ、困難の中にも幸せを見つけることができる。岸さんも鈴木さんのエピソードにしても、共通して未来の自分自身を大切にすることを訴えていると感じた。今までの自分を振り返ってみると、全力疾走をしていきてきているが、自分を否定しながらいきてきたような気もした。でも、否定してきている自分もいて、時には認めることもあっていいと思えた。否定する自分も自分だからである。否定し、肯定しながら、自分の心を探すつもりで生きれるぐらい、心に余裕を持つことが大事だと思った。将来、自分に肩書きがつき本当の自分が見えにくくなってしまう前の大学にいる間に自分自身を見つめ、本来の自分を見つけたいと思った。

（大国三回生　玉木寛子）

生きておられたら私と同じ年の岸久美子さんのお話を聞いていたら、自然と涙が出てきました。同情とかかわいそうだとか、死ぬことへのおそろしさではなく、今こうして自分が生きていることの有難さで胸があつくなりました。自分が生きていることがとんでもなく不思議なことに感じました。

（大国三回生　長畑幸奈）

著者紹介

普賢保之（ふげん　やすゆき）

1955年，大分県に生まれる。

龍谷大学大学院博士課程真宗学専攻修了，本願寺派宗学院卒業。

現　在　京都女子大学教授，本願寺派司教。

著書・論文

『尊号真像銘文講読』

『花梨』

「念仏往生の意義」（『真宗学』105・106合併号）

「親鸞の如来観」（『真宗学』109・110合併号）

その他論文多数。

本当の幸せとは

2009年９月15日　印刷

2009年９月22日　発行

著　者　普　賢　保　之

発行者　永　田　　悟　京都市下京区花屋町通西洞院西入

印刷所　図書印刷 同　朋　舎　京都市 下京区 壬生川通 五条下ル

発行所　創業慶長年間 永田文昌堂　京都市下京区花屋町通西洞院西入

電　話（075）３７１-６６５１番

FAX（075）３５１-９０３１番

ISBN978-4-8162-6225-8 C1015